Les Ballerines Magiques

Le secret
d'Enchantia

Merci à Linda Chapman

Cet ouvrage a initialement paru en langue anglaise
chez HarperCollins Children's Books sous le titre :
Delphie and the Birthday Show

© HarperCollins Publishers Ltd. 2008 pour le texte et les illustrations
Illustrations de Katie May

L'auteur/l'illustrateur déclare détenir les droits moraux
sur cette œuvre en tant qu'auteur/illustrateur de cette œuvre.

© Hachette Livre 2009 pour la présente édition

Adapté de l'anglais par Natacha Godeau

Colorisation des illustrations et conception graphique : Lorette Mayon

Hachette Livre, 43 quai de Grenelle, 75015 Paris

Darcey Bussell

Les Ballerines Magiques

Le secret
d'Enchantia

hachette
JEUNESSE

Voici Daphné Beaujour

Elle vit des aventures extraordinaires !
Pourtant, elle n'a que neuf ans.
Sa passion, c'est la danse classique.
Elle rêve de devenir danseuse étoile…
Un jour, son professeur lui confie une paire
de chaussons magiques : ils ont le pouvoir
de la transporter à Enchantia, le monde
des ballets ! À elle maintenant de protéger
le royaume enchanté de tous les dangers…

À l'école de danse

Le *Cours de Danse de Madame Zarakova* est une école extraordinaire. Daphné s'en rend vite compte !

Madame Zarakova, qu'on appelle Madame Zaza, est mystérieuse, et connaît de fabuleux secrets !

Tiphaine et Julie sont les meilleures amies de Daphné. Mais elles ne savent rien d'Enchantia…

Giselle considère Daphné comme sa rivale car, sans elle, elle serait l'élève la plus douée du cours !

Enchantia

Le palais royal

Chez la Fée Dragée

La vallée des friandises

Le village

Le grand théâtre

Chez la Méchante Fée

Vers le château du Prince Charmant

Le manoir de Cendrillon

Lac des cygnes

Forêt enchantée

L'île interdite

Le château du Roi Souris

Le lac ensorcelé

Les habitants d'Enchantia

Le Roi Tristan, son épouse la Reine Isabella
et leur fille la belle Princesse Aurélia
vivent au palais royal,
un magnifique château de marbre blanc.

La Fée Dragée aide
Daphné à veiller
sur Enchantia.
D'un coup de baguette
magique, elle peut réaliser
les tours les plus
fantastiques.

Le Roi Souris déteste la danse.
Il habite un sombre château,
sur la montagne, avec sa cruelle armée.
Il n'a qu'un but dans la vie :
chasser le bonheur d'Enchantia.

*Un pied en avant, la tête penchée,
Daphné attend que la musique
commence. Elle admire ses chaussons
rouges. Les autres élèves du cours
en portent des roses. Mais les siens sont
spéciaux. C'est Madame Zarakova,
son nouveau professeur, qui les lui a
confiés. Et Daphné a vite percé
leur secret : ils sont magiques ! Dès que
c'est nécessaire, ils la conduisent
à Enchantia, le monde des ballets.
Car la jeune Daphné est chargée
d'empêcher le cruel Roi Souris
de bannir la danse du royaume
enchanté…*

1. Chez Madame Zaza

Daphné s'applique. Elle s'élance avec souplesse, croise les pieds en l'air, puis retombe en douceur. Elle enchaîne : petit saut, petit saut et…

« *Pas de chat !* » se récite-t-elle en bondissant sur le côté.

Tendu, plié, *pas de chat*. La fillette s'arrête, sourire aux lèvres, les épaules en arrière, les bras gracieusement ouverts.

— Parfait! conclut Madame Zaza, ravie.

Daphné quitte le centre de la pièce et rejoint le groupe d'élèves sans cacher sa fierté. Il est très rare que Madame Zaza dise: «Parfait!»

Elle se rappelle ses débuts, au cours de danse. Quand Madame Zaza lui a confié une paire de chaussons rouges fantastiques. Ses vieux chaussons magiques!

«J'ai hâte qu'ils me remmènent à Enchantia!» murmure Daphné.

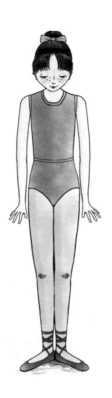

Le problème, c'est que la fillette a beaucoup grandi. Et les chaussons lui font de plus en plus mal aux pieds! Mais elle ne veut

pas l'avouer, car il n'est pas question d'en changer. Sans eux, comment se rendrait-elle au royaume des ballets?

« Et puis, avec des chaussons normaux, je danserais beaucoup moins bien ! »

Ça, Daphné en est persuadée ! Alors, elle essaie d'oublier la dou-

leur en admirant l'élève qui danse à présent au centre de la salle : Rose, la nouvelle.

Elle est très douée. En deux mois à peine, elle a rattrapé tout le monde, dans la classe. À la fin, Daphné lui fait signe qu'elle a bien dansé. Et Rose lui répond par un sourire. Pour une fois ! Elle est tellement solitaire, elle reste toujours à l'écart…

« Il faut que je la connaisse mieux ! » décide Daphné.

Quand les danseuses filent se changer aux vestiaires, Daphné s'approche de Rose.

— Tiphaine et Julie viennent

chez moi, samedi. Tu veux venir
aussi ?

— Non merci.

Daphné fronce les sourcils. Pas
très sympa !

— Bon, eh bien, ce sera pour
une prochaine fois…

— Non, je ne pourrai pas.

— Comment ça ? Tu veux dire que tu ne pourras *jamais* venir ?

— C'est ça. Oh, j'ai oublié mon cache-cœur dans la grande salle !

Et Rose s'élance dans le couloir. Daphné n'en revient pas. Rose se sauve exprès pour interrompre la conversation !

— Tu as un problème, Daphné ? demande alors Julie en poussant la porte des vestiaires. Tu fais une drôle de tête !

— C'est Rose. Je lui ai proposé de passer à la maison, et elle a répondu qu'elle ne pourrait *jamais* venir !

Tiphaine et Julie écarquillent les yeux.

— C'est bizarre…

— Oui, elle doit avoir un secret…

Rose entre dans les vestiaires à cet instant. Vite, Daphné change de sujet :

— Au fait, est-ce que vous en savez plus sur les *pointes* ?

Il y a quelques jours, Madame Zaza a annoncé que certaines élèves étaient au niveau pour commencer à danser sur les pointes. Il faut des chaussons spéciaux, avec les bouts rembourrés. Ça exige aussi une musculature solide.

— Pourvu qu'on soit toutes prêtes ! souhaite Tiphaine.

Elle est impatiente que Madame Zaza révèle les noms des élèves en question !

Daphné pousse un soupir d'envie. Danser sur les pointes… Elle en rêve !

«En plus, je pourrai continuer à porter mes chaussons rouges pour les autres exercices!»

Sauf qu'ils sont trop petits pour toi, Daphné! lui rappelle une petite voix.

Mais Daphné secoue la tête. N'importe quoi! Elle est juste un peu serrée dedans, c'est tout. Et elle les enlève en grimaçant, à cause des ampoules qui lui font mal aux orteils…

2. Une grande nouvelle

Quand Daphné arrive au cours de danse, le lendemain, elle aperçoit Rose devant elle. Daphné est la seule élève à venir sans accompagnateur. C'est normal : elle habite dans la rue de l'école. Mais Rose, non plus, n'est jamais

accompagnée. Et Daphné se
demande si elles sont voisines…

— Bonjour, Rose ! Moi aussi, je
viens à pied. Tu habites le quar-
tier ?

— Oui, à deux minutes d'ici.

Les fillettes grimpent les marches du perron et entrent dans le
couloir. Daphné remarque :

— On a de la chance, on n'a pas à se faire conduire. Je parie que ça arrange bien papa et maman, avec leur travail. Mais ils adorent assister à mes spectacles ! Et tes parents, ils aiment ça aussi ?

— Je vis seule avec maman, répond Rose d'un ton hésitant. Elle aime la danse, ça oui, mais... Tu crois que Madame Zaza va te sélectionner, pour les *pointes* ?

Comme d'habitude, Rose change de conversation. Daphné hausse les épaules.

—Je n'en sais rien. J'espère...

—J'aimerais vraiment être choi-

sie! continue Rose. Mais maman dit que c'est encore trop tôt.

— Ta mère? répète Daphné, surprise.

Mais Rose n'a pas le temps de s'expliquer. Madame Zaza vient d'ouvrir la porte de son bureau.

— Ah, Daphné. Est-ce que je peux te parler un instant?

Elle lui fait signe de la suivre. Rose file seule aux vestiaires.

— Je suis très contente de toi, Daphné, déclare le professeur. Tu as du talent. Tu t'entraînes beaucoup. Tu arrives en avance aux cours pour t'exercer. Et tu progresses de jour en jour…

La fillette a le cœur qui bat à cent à l'heure. Ça y est, Madame Zaza va lui annoncer *la* grande nouvelle !

— Tiens, reprend le professeur. Tu le mérites.

Elle lui tend une boîte à chaussures. Daphné soulève le couvercle en tremblant… et découvre

une magnifique paire de *pointes* en satin rose !

— Oh ! Merci !

— Tu les porteras à partir de la semaine prochaine. Mais il te faudra toujours des chaussons classiques, pour certains exercices. Ceux que je t'ai confiés doivent commencer à être trop justes ?

— Non, non, ils me vont bien !

Le professeur la fixe d'un regard soupçonneux.

— Tôt ou tard, tu devras en changer, Daphné. Comme les autres avant toi. Tu trouveras même peut-être quelqu'un à qui les offrir…

La fillette baisse la tête. Elle ne veut pas abandonner ses fabuleux chaussons rouges. Elle veut encore moins les donner à une autre danseuse !

— Va te préparer pour le cours, termine alors Madame Zaza. Vous êtes six, à être sélectionnées pour les *pointes*. Je préviens tes amies aujourd'hui, et

vous passerez en classe supérieure dès lundi.

Daphné se rend lentement aux vestiaires. Elle ne sait plus quoi penser. Son rêve de danser sur les *pointes* va se réaliser ! Mais pourvu qu'elle ne soit pas séparée de Tiphaine et Julie…

« Et puis c'est vrai que, tôt ou tard, je serai bien obligée de renoncer à mes chaussons magiques… » pense Daphné en les enfilant.

On dirait qu'ils la serrent encore plus qu'hier ! Elle noue tristement les lacets sur ses chevilles… lorsque les vieux chaussons

rouges se mettent à briller comme des rubis !

— On a besoin de moi à Enchantia ! s'exclame Daphné, qui ne pense déjà plus à ses problèmes.

Un frisson remonte le long de ses mollets, et ses chaussons commencent à danser. Ils entraînent la fillette qui pirouette dans les airs. Elle tourne vite, tout devient flou autour d'elle. Une brume multicolore tourbillonne et…

3. La vengeance du Roi Souris

Pof ! Daphné atterrit dans la cour du palais royal. Les tours nacrées du château de marbre étincellent au soleil. Il y a un petit théâtre en bois, monté près de la grille principale. Le décor représente une forêt, et des sièges s'ali-

gnent devant la grande estrade.

« On dirait qu'on va donner un spectacle, ici ! »

Daphné se demande si c'est en l'honneur du mariage de la Princesse Aurélia et du Prince Belami. La dernière fois qu'elle est venue à Enchantia, le royaume célébrait leurs fiançailles !

Des éclats de voix interrompent brusquement ses pensées. Quelqu'un sort en courant du palais…

« Fée Dragée ! », se réjouit Daphné.

Mais le Prince Belami surgit derrière la fée en implorant :

— Par pitié, ne fuyez pas ! Je vous aime !

Et sous le regard surpris de Daphné, il se jette aux pieds de la fée, et s'agrippe à ses chevilles !

— Ça suffit, Belami ! se fâche-t-elle.

Elle lève les bras au-dessus de sa tête, pirouette deux fois sur elle-même, et disparaît.

— Non ! Mon amour ! sanglote le Prince, toujours allongé sur le sol. Revenez !

Daphné n'y comprend rien. Elle irait bien parler au Prince, lorsqu'Aurélia arrive à son tour en criant :

— Belami !

— Non, Aurélia, inutile ! répond-il. Dragée est la femme de ma vie !

Puis il se redresse d'un bond et s'éloigne à grands pas. Aurélia fond aussitôt en larmes. Daphné se précipite vers elle.

— Mais enfin, qu'est-ce qui se passe, ici ?!

— Daphné! Quelle chance que tu sois là! Je t'en prie, aide-moi!

La Princesse se regarde dans son petit miroir en argent pour se sécher les yeux.

— Belami ne m'aime plus, explique-t-elle. Il est tombé amoureux de la Fée Dragée… Et tout ça à cause du Roi Souris !

Daphné frissonne. Le Roi Souris est si cruel ! Il déteste la danse, le bonheur, la gaieté. Pourtant, il l'a sauvée de la Méchante Fée, la dernière fois… Et voilà qu'il recommence ses manigances ! Aurélia soupire.

— C'est l'anniversaire de maman, aujourd'hui. Elle est un peu triste que je quitte le palais, après mon mariage. Alors, j'ai organisé une représentation pour elle, ce soir. C'est un ballet :

Le Songe d'une Nuit d'Été. Je devais l'interpréter avec mes amis mais hélas, c'est devenu impossible!

— Pourquoi?

— Il y a une fleur magique, dans ce ballet: une *Pensée d'Amour*. Si on fait tomber des pétales de la fleur sur les paupières de quelqu'un qui dort, à son

réveil, il tombe amoureux de la première personne qu'il voit.

— Et le Roi Souris a remplacé votre fausse fleur de théâtre par une vraie ? devine Daphné.

— Exactement ! À la répétition générale, quand Belami a ouvert les yeux, il a d'abord vu la Fée Dragée. Maintenant, il est fou d'elle, et il a annulé notre mariage !

Aurélia se remet à pleurer.

— Le pire, Daphné, c'est que moi, je l'aime toujours autant !

— Mais le Roi Souris veut juste s'amuser à gâcher votre mariage ? s'étonne la fillette.

— Il veut surtout se venger, explique la Princesse. Il est encore furieux que j'aie refusé de l'épouser !

Daphné réfléchit. Elle connaît le ballet du *Songe d'une Nuit d'Été.* À cause de la fleur magique, tout le monde tombe amoureux de

n'importe qui, dans cette histoire. Soudain, elle a une idée :

— On n'a qu'à déposer d'autres pétale de *Pensée d'Amour* sur les paupières de Belami. Puis on s'arrange pour qu'il te voie *toi* à son réveil…

— Tu as raison ! Allons vite en cueillir une dans la forêt ! Elles ne fleurissent qu'un seul jour d'été, et c'est aujourd'hui. Mais elles se fanent en quelques heures à peine…

— Il n'y a pas une seconde à perdre ! s'écrie Daphné.

4. Au voleur !

Daphné et la Princesse Aurélia traversent rapidement la forêt. Elles s'arrêtent en bordure d'une paisible petite clairière. Daphné regarde l'herbe. Elle demande :

— À quoi ressemble la fleur magique ?

— Elle a des pétales mauves et une tige courte, décrit Aurélia.

Daphné se met à chercher au pied des arbres. Tout à coup, elle entend une brindille craquer, dans son dos. Elle se retourne, intriguée. Comme il n'y a personne, elle reprend ses recherches. Mais elle a l'impression que quelqu'un l'observe, derrière les fourrés. Un instant, elle croit même apercevoir une longue queue de rat, sous un buisson !

— Daphné ! s'écrie brusquement Aurélia. Le temps presse. Appelons les Fées de la Forêt. Tu les connais, ce sont Fleur des Pois, Grain de Moutarde, Toile d'Araignée et Moucheron, du *Songe d'une Nuit d'Été*. Elles vont nous aider !

La fillette hoche la tête. À Enchantia, on peut appeler les personnages des ballets en imitant leurs pas de danse. La Princesse Aurélia se place en *cinquième position.*

— Observe-moi bien, Daphné. Je te montre l'enchaînement !

Elle fredonne en dansant. Elle

bondit, croise les pieds, fait un saut de côté et repart en virevoltant. Elle pirouette six fois sur elle-même, les bras ouverts. Elle s'arrête enfin sur un pied, le buste incliné vers l'avant. Puis elle ramène sa jambe et termine en position de départ.

— D'accord, ça devrait aller, affirme Daphné.

Et elles s'élancent dans un ensemble parfait. Bientôt, quatre fées surgissent du feuillage en voletant avec légèreté. L'une d'elles, en tutu rose et blanc, des fleurs tressées dans ses cheveux sombres, s'incline devant la Princesse.

— Fleur des Pois ! Bonjour !

— Pourquoi nous as-tu appe-
lés, Princesse ?

— Mon amie Daphné et moi avons besoin de votre aide.

— Bonjour, Daphné ! salue alors Fleur des Pois. Je te présente Grain de Moutarde.

Le garçon habillé en vert fait une jolie révérence. Fleur des Pois reprend :

— Celui qui porte une tunique marron, c'est Moucheron. Et voici Toile d'Araignée, avec sa robe gris perle et son bonnet blanc.

— Il me faut une *Pensée d'Amour*! les presse Aurélia. Ou Belami aimera la Fée Dragée à jamais!

Moucheron se porte aussitôt volontaire:

— Je sais où en trouver une!

— Non, moi! s'exclame Grain de Moutarde.

— Non, moi! insiste Toile d'Araignée d'une voix cristalline.

Et les trois fées s'envolent à

tire-d'aile ! Daphné profite de ce qu'Aurélia et Fleur des Pois bavardent ensemble pour s'asseoir sur une vieille souche. Elle finit d'enlever ses chaussons qui lui font mal aux pieds, quand les trois fées réapparaissent déjà dans la clairière.

— Ma fleur poussait près d'une chute d'eau miroitante ! se vante Moucheron.

— La mienne s'épanouissait entre les racines d'un chêne centenaire, renchérit Grain de Moutarde.

— La mienne bordait le champ de blé doré, souffle Toile d'Araignée.

Aurélia est ravie.

— Je n'ai plus qu'à retrouver Belami avant qu'elles ne flétrissent et perdent leur pouvoir magique !

— Je l'ai vu ! déclare Toile d'Araignée. Il se promenait dans un champ de blé… Suivez-moi !

Vite, Daphné retourne chercher ses chaussons, près de la souche. Elle regarde à droite, à gauche. Puis elle s'écrie :

— Au voleur !

5. Un gros dormeur

— Mes chaussons ont disparu !
dit Daphné, paniquée.

Grain de Moutarde pointe le
doigt vers des empreintes, dans
la terre. Des pattes griffues, avec
la trace d'une longue queue
pointue…

— Le Roi Souris ! s'exclame
Daphné. Je savais bien qu'on
était suivies !

Ses yeux s'emplissent de larmes. Qu'est-ce qu'elle va devenir,
maintenant ?

— Ne t'inquiète pas, la récon-
forte Aurélia. Dès que Belami

sera sauvé, nous irons les récupérer ! À moins que tu n'aies trop peur que le Roi Souris ne s'en débarrasse avant…

— Non, tant pis ! Les *Pensées d'Amour* risquent de faner. Allons vite chercher le Prince !

La fillette se force à sourire. Mais au fond d'elle-même, elle est catastrophée. Dire que cet horrible Roi Souris risque d'enfiler ses précieux chaussons rouges ! Bientôt, le petit groupe arrive au champ de blé, à l'entrée de la forêt. Un épouvantail se dresse au milieu des épis dorés. Et le Prince Belami est là aussi ! Il

égrène pensivement du blé en récitant :

— Elle m'aime, un peu, beaucoup…

Daphné, Aurélia et les fées se cachent derrière les arbres.

— Il faut que le Prince s'endorme, chuchote Daphné.

— Interprétons notre Valse des Rêves ! suggère Fleur des Pois. C'est une berceuse irrésistible. Aurélia, Daphné ! Vous devez nous accompagner, sinon, vous vous endormirez aussi. Voici les pas…

Et elle pirouette, virevolte, sautille avec aisance.

— Sans mes chaussons magiques, je n'y arriverai jamais, se décourage Daphné.

— Bien sûr que si ! dit Aurélia. Ce ne sont pas tes chaussons qui dansent. C'est toi, avec ton cœur ! Sois confiante, Daphné.

Elle lui prend la main, puis elles s'élancent dans la valse en

compagnie des Fées de la Forêt. Soudain, une mélodie apaisante s'élève dans les airs…

— Ça marche ! se réjouit Fleur des Pois.

Les notes s'envolent au-dessus du champ de blé. Elles flottent jusqu'au Prince qui bâille, bâille… et s'endort d'un coup !

— On a réussi ! crie Daphné.

Vite, Aurélia court déposer deux pétales de *Pensée d'Amour* sur les paupières de Belami avant de le réveiller. Le Prince s'étire, ouvre les yeux et sourit.

— Aurélia, ma douce ! Je viens de faire un rêve si bizarre…

J'étais amoureux de la Fée Dragée !

— Oh, mais ce n'était pas un rêve ! répond la Princesse.

Et le temps que Daphné les rejoigne avec les Fées de la Forêt, elle raconte à son fiancé les mauvais coups du Roi Souris. Y compris le vol des chaussons rouges !

— Aurélia, voulez-vous toujours m'épouser ? s'inquiète Belami.

— Évidemment ! Ce n'était pas votre faute, vous étiez victime d'un sortilège !

— Nous donnerons aussi le ballet prévu pour l'anniversaire de votre mère ! déclare le Prince en l'entraînant dans un joyeux *pas de deux.*

Puis, il tire son épée de son fourreau et ajoute :

— Mais avant tout, récupérons les chaussons de Daphné !

Un gros ronflement l'interrompt soudain. Ils se précipitent tous en direction du vacarme. Ils distinguent une silhouette, allongée dans les épis dorés. Elle porte une longue cape rouge. Ses moustaches noires frémissent autour de son museau pointu…

— Le Roi Souris !

6. Le grand amour

— Chut ! Ne le réveillez pas ! chuchote Toile d'Araignée.

— Il a été piégé par la Valse des Rêves pendant qu'il emportait les chaussons de Daphné, murmure Aurélia.

En effet, les chaussons rouges

dépassent du sac du Roi Souris, à côté de lui. Le Prince Belami se glisse assez près pour les attraper… et les rendre à la fillette !

— Oh, merci ! souffle-t-elle en se dépêchant de les enfiler.

— Rentrons au palais royal, décide Belami.

Mais comme toutes les fées,

Fleur des Pois est une petite farceuse. Elle chuchote à l'oreille de Grain de Moutarde, Toile d'Araignée et Moucheron, qui rigolent. Ils foncent chercher le vieil épouvantail. Il porte une robe en haillons. Sa tête est un sac à patates rempli de foin. Une paire d'yeux sans vie et un sourire stupide sont peints sur la toile de jute…

Les fées le déposent sans bruit près du Roi Souris. Fleur des Pois laisse tomber un pétale de *Pensée d'Amour* sur les paupières du dormeur. Puis elle claque des doigts pour le réveiller ! Il bâille, se

gratte la tête et aperçoit l'épouvantail.

— Ma beauté ! s'émerveille-t-il.

Dans sa cachette, Daphné se
retient de rire.

— Je suis le Roi Souris, mon
amour.

Forcément, l'épouvantail ne répond pas. Le Roi reprend :

— Mon charme vous laisse sans voix. Rassurez-vous, j'ai l'habitude. Oh ! Vos yeux, votre sourire, vos cheveux filasse sont tellement dignes de moi ! Voulez-vous m'épouser ?

Toile d'Araignée glousse.

— Il est trop ridicule !

— Ça lui apprendra à embêter les autres, dit Fleur des Pois.

— Rentrons au palais, ajoute Aurélia.

Mais Daphné n'est pas d'accord !

— Vous ne pouvez pas l'aban-

donner comme ça ! Qu'est-ce qui se passera, quand l'épouvantail se cassera ?

— Mais il n'existe aucun antidote à la fleur magique, remarque Moucheron en soupirant. Il faudrait que le Roi Souris retombe amoureux de quelqu'un d'autre...

Daphné réfléchit.

— Aurélia, peux-tu me prêter ton petit miroir en argent ? J'ai un plan !

7. Le ballet d'anniversaire

Vite, les Fées interprètent la Valse des Rêves avec Daphné, Aurélia et Belami. Le Roi Souris s'endort. La fillette place le miroir à côté de lui. Puis elle tape fort dans ses mains, et le Roi s'éveille en découvrant son

reflet dans le petit miroir en argent.

— Ho, mais que vois-je ? Je suis plus séduisant que jamais !

Il lisse ses moustaches, plisse son museau.

— Quelle perfection ! Je ne me lasse pas de m'admirer !

Aurélia rit tout bas.

— Bravo, Daphné ! Le Roi Souris a retrouvé son vrai caractère !

— Notre tâche est terminée, déclare alors Fleur des Pois. Rentrez vite annoncer à tout le monde que le ballet aura finalement lieu ce soir !

— C'est vrai, réalise soudain la Princesse. Il y a encore plein de choses à préparer ! J'espère que vous assisterez à la représentation ?

— Avec plaisir ! acceptent en chœur les Fées de la Forêt.

Quel remue-ménage, dans la cour du palais royal ! Tout le

monde s'active pour la fête d'anniversaire de la Reine Isabella. Les danseurs répètent leurs numéros. Enfin, le soir tombe… et le rideau du théâtre se lève. Daphné s'amuse beaucoup. Elle est assise dans la tribune d'honneur, avec le Roi Tristan et la Reine Isabella en personne. *Le Songe d'une Nuit d'Été* est très drôle, et très romantique. Aurélia, Belami, la Fée Dragée et Siegfried, du *Lac des Cygnes*, interprètent deux couples d'amoureux. Il y a aussi Titania la Reine des Fées, le Roi Obéron, Puck le malicieux. Et même quelqu'un déguisé en âne !

— Bravo ! crient les spectateurs avec enthousiasme.

La troupe revient saluer dix fois, à la fin !

— Quel beau cadeau d'anniversaire ! dit la Reine Isabella en riant. Notre fille et Belami ont bien de la chance de se marier !

Ensuite, Aurélia a organisé un grand bal, pour terminer la soirée. C'est très gai !

— Je te remercie, Daphné, confie la Fée Dragée. Je préfère que Belami ne soit plus fou de moi !

La fillette éclate de rire.

— Tout est bien qui finit bien !

Même le Roi Souris est satisfait de sa propre compagnie!

Soudain, Daphné repense à ce qui l'attend quand elle rentrera chez elle. Pour elle, les ennuis ne sont pas encore finis! La fée s'inquiète:

— Tu as un problème?

— Oh oui, Fée Dragée, c'est affreux! Mes chaussons rouges ne me vont plus! Je sais que je

peux danser sans eux. Mais je ne pourrai plus venir vous voir !

— Voyons, Daphné ! Tu viens pourtant de découvrir le secret d'Enchantia ! Tu connais notre royaume. Il te suffit d'y croire sincèrement et de danser de tout ton cœur pour nous rejoindre. Nous serons toujours là pour toi !

Et à ces mots, elle l'entraîne dans une joyeuse polka ! Quand elles arrêtent de virevolter, hors d'haleine, les chaussons rouges de Daphné scintillent...

— Il est déjà l'heure de rentrer ! regrette-t-elle.

— Au revoir, Daphné ! s'ex-

clame alors la Fée Dragée en lui faisant un clin d'œil. À bientôt !

Une brume multicolore enveloppe la fillette. Elle se met à pirouetter sur elle-même et... *Pof !* elle atterrit dans les vestiaires du cours de danse. Elle revient pile au moment où elle est partie... Une chance que le temps ne s'écoule pas de la même manière à Enchantia !

8. Que le spectacle continue !

En quittant le cours de danse, ce soir-là, Daphné revient brusquement sur ses pas. Elle veut rattraper Rose, sur le chemin. Madame Zaza a dévoilé les noms des six élèves qui passent en classe supérieure, pour danser sur les

pointes. Daphné, Tiphaine, Julie, Giselle, Alice et Éloïse. Mais pas Rose.

«Elle doit être déçue! s'inquiète Daphné. Je dois lui parler!»

Elle traverse la rue. Elle voit Rose entrer dans une petite maison, plus loin. Daphné se dépêche. Elle sonne à la porte verte.

— Daphné? Qu'est-ce que tu fais là? bredouille Rose en ouvrant.

— C'est à cause des *pointes*. J'avais peur que tu sois triste…

— Ça va, je m'y attendais! Écoute, je suis pressée, Daphné. Merci d'être venue. Au revoir!

Mais elle n'a pas le temps de refermer la porte. Une jeune femme en fauteuil roulant arrive dans le couloir. Elle est très belle, avec ses longs cheveux blonds retenus en chignon sur la nuque, ses immenses yeux bleus, et son air doux. Elle salue Daphné en souriant.

— Bonsoir. Tu es une élève de Madame Zaza ?

— Oui, madame. Je m'appelle Daphné Beaujour.

Rose fusille Daphné du regard. Pourquoi est-elle si en colère ? Daphné ne comprend pas. La jeune femme reprend :

— Enchantée, Daphné ! Je suis Morgane, la maman de Rose. J'adorerais venir vous voir danser, mais je ne peux pas monter les marches de l'école, avec mon fauteuil. Rose t'a dit que j'étais danseuse étoile ?

— Non…, souffle la fillette, surprise.

— Avant mon accident de voiture, bien sûr ! J'ai dû abandonner ma carrière... Mais j'ai eu Rose, et ça, c'est merveilleux !

Elle montre une photo, sur le mur.

— Tu vois ? Là, j'interprétais *Le Lac des cygnes*, à l'Opéra. J'ai voyagé un peu partout...

Daphné est impressionnée. C'est la première fois qu'elle rencontre une vraie ballerine... à part Madame Zaza !

— Reste goûter, si tu veux, Daphné. Mais téléphone d'abord à tes parents. Rose n'invite jamais personne. C'est dommage !

Après le goûter, Daphné bavarde avec Rose, dans sa chambre.

— Tu aurais pu me le dire,
pour ta mère !

— Te dire quoi ? Qu'elle est
paralysée ?

— Mais non ! Qu'elle était danseuse étoile, c'est génial !

Soudain, Daphné s'interrompt.

— Oh, Rose ! C'est parce qu'elle est en fauteuil roulant, que tu évites les autres filles ?

Rose rougit.

— Pas exactement... En fait, avant qu'on emménage ici, j'avais des amis. Et puis, ils sont venus à la maison et après, ils se moquaient tout le temps de maman et de son accident...

— Mais c'est affreux !

— Je ne veux pas que ça recommence, explique Rose. Je préfère ne plus avoir d'amis du tout !

Daphné hoche la tête.

— Ta mère a été une grande ballerine et en plus, elle est super jolie et super gentille. Ça rend les autres jaloux, ça… Mais pas moi. Ni Tiphaine, ni Julie. Elles vont trouver ça formidable, au contraire !

Les yeux de Rose brillent de bonheur. Alors, les deux fillettes éclatent de rire. Avant que Daphné s'en aille, Rose lui montre fièrement des photos des spectacles de sa mère.

— Maman a étudié la danse dans la plus grande école du pays. Je rêve de faire comme elle !

Elle pousse un soupir.

— En tout cas, toi, tu dois être contente de commencer à commencer à danser sur les *pointes*... Mais je vais m'entraîner. Et bientôt, ce sera mon tour !

À cet instant, Daphné sait exactement ce qu'elle doit faire.

— Rose, tu aimerais que je te passe mes chaussons rouges ? Ils sont trop petits pour moi.

— Mais... et Madame Zaza ? C'est elle qui te les a donnés...

— Je sais qu'elle sera d'accord.

Et la fillette les sort de son sac.

— Tiens, prends-les, Rose.

— Oh là là ! Merci beaucoup !

Daphné fixe une seconde ses vieux chaussons, entre les mains de son amie. Elle précise :

— Ce ne sont pas des chaussons ordinaires, tu verras. D'ailleurs, je te conseille de te méfier du Roi Souris !

— De qui ?

— Tu comprendras vite, répond Daphné d'un ton mystérieux.

Puis elle rentre chez elle. En chemin, Daphné se sent légère, légère ! Elle a accompli sa mission. Et elle retournera quand même à Enchantia !

« Nous serons toujours là pour toi », lui a promis la Fée Dragée.

La fillette est heureuse. Elle serre ses pointes en satin rose contre son cœur. Elle a hâte de les montrer à ses parents !

— Que le spectacle continue! chante-t-elle en courant dans la rue.

FIN

Les chaussons
de Daphné brillent...

Retrouve très bientôt Daphné
et Rose dans une nouvelle aventure
à Enchantia

Invitation

Je t'invite à partager mes prochains voyages et ceux de Rose
à Enchantia, le monde merveilleux des ballets !

1. Daphné au
royaume enchanté

2. Le sortilège
des neiges

3. Le grand
bal masqué

4. Le bal
de Cendrillon

5. Le palais
endormi

Voyages
à Enchantia

7. Rose au pays
des ballets

8. L'oiseau
fabuleux

9. La pierre
royale

10. Le sortilège
des mers

11. La prisonnière
du château

12. Le vœu de
Rose

13. Daphné et le
voyage féérique

14. Le Noël magique
de Daphné

Comme Daphné, tu adores la danse ?
Alors voilà un petit cadeau pour toi...

Darcey Bussell est une célèbre
danseuse étoile. Tourne vite la page,
et découvre la leçon de danse exclusive
qu'elle t'a préparée !

Ma petite méthode de danse

Le salut

En danse classique, il est important de savoir
saluer son public après une représentation.
Voici un salut idéal, très simple
et très gracieux...

1.
Place-toi en Première
Position*, écarte les bras
et pointe le pied gauche
vers l'extérieur.

2.
Sans décoller la pointe
du sol, glisse lentement
le pied gauche derrière
le pied droit.

* Tu trouveras les six positions
de base dans le tome 1
des Ballerines Magiques.

Ma petite méthode
de danse

3.
Fléchis légèrement
les genoux, tête bien droite,
épaules en arrière,
bras ouverts.

4.
Redresse-toi en douceur,
ramène le pied gauche
contre le droit, puis relâche
les bras.

Table

PAPIER À BASE DE
FIBRES CERTIFIÉES

hachette s'engage pour
l'environnement en réduisant
l'empreinte carbone de ses livres.
Celle de cet exemplaire est de :
350 g éq. CO₂
Rendez-vous sur
www.hachette-durable.fr

Imprimé en Espagne par Cayfosa
Dépôt légal : octobre 2009
Achevé d'imprimer : juillet 2013
20.1873.7/06 - ISBN : 978-2-01-201873-0
Loi n° 49956 du 16 juillet 1949
sur les publications destinées à la jeunesse